Coordinación editorial: Ziomara De Bonis Orquera
Jefatura de arte: María José Pingray
Coordinación de licencias: María Eugenia Delía
Edición: Antonela de Alva
Diagramación: Elisabet Lunazzi
Corrección: Marisa Cogartelli

Primera edición publicada por Editorial Guadal S. A., Av. Lacroze 1865, Ciudad Autónoma de Buenos Aires, Argentina.
Libro de edición argentina. Impreso en China, en enero de 2014.

www.editorialguadal.com.ar

Anónimo
Frozen. - 1a ed. - Ciudad Autónoma de Buenos Aires : El Gato de Hojalata, 2014.
32 p. : il. ; 22x17 cm. - (Ventanas mágicas)

ISBN 978-987-705-058-5

1. Cuentos Clásicos Infantiles.
CDD 863.928 2

Disney

FROZEN

UNA AVENTURA CONGELADA

Traducción de Ana Flores

El reino de Arendelle era un lugar alegre. Allí, la aurora boreal iluminaba el cielo creando hermosos dibujos.

Pero los reyes tenían una preocupación secreta.

Su hija mayor, Elsa, poseía poderes mágicos. Podía congelar cosas y crear nieve, ¡incluso durante el verano!

Su hija menor, Anna, adoraba a su hermana mayor. Las dos jugaban juntas en los espacios nevados que Elsa creaba, y se divertían muchísimo.

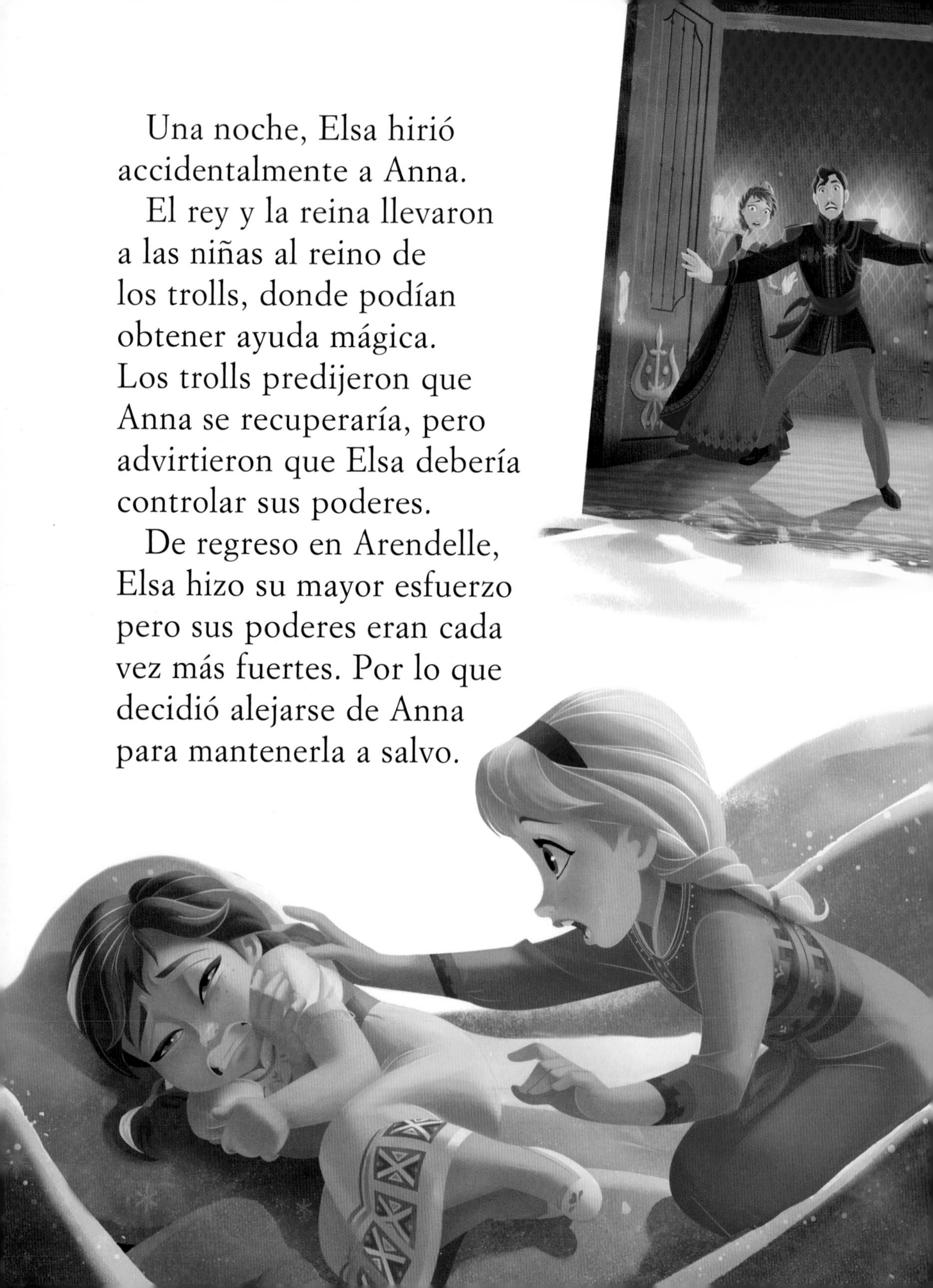

Una noche, Elsa hirió accidentalmente a Anna.

El rey y la reina llevaron a las niñas al reino de los trolls, donde podían obtener ayuda mágica. Los trolls predijeron que Anna se recuperaría, pero advirtieron que Elsa debería controlar sus poderes.

De regreso en Arendelle, Elsa hizo su mayor esfuerzo pero sus poderes eran cada vez más fuertes. Por lo que decidió alejarse de Anna para mantenerla a salvo.

Los trolls habían modificado la memoria de Anna para que no recordara la magia de Elsa. Por eso, Anna creció pensando que Elsa no la quería.

Para el momento en que Elsa fue coronada reina, las hermanas se habían distanciado enormemente.

Apenas se conocían.

Sin la compañía de su hermana, Anna se sintió sola por un largo tiempo. Así que se entusiasmó mucho al conocer al apuesto Príncipe Hans el día de la coronación de Elsa.

En la fiesta, Anna y Hans se enamoraron a primera vista.

Anna quiso comprometerse de inmediato. Pero Elsa no estaba de acuerdo, y le preguntó enojada:

—¿Cómo puedes casarte con alguien que acabas de conocer?

—¡Ya no puedo vivir así!
—respondió Anna.

Entonces, Elsa se enojó aún más y un estallido de nieve salió de su mano, ¡delante de todo el mundo!

Preocupada porque su secreto había quedado expuesto, y asustada ante la posibilidad de lastimar alguien, Elsa huyó del castillo. Mientras corría, todo se congelaba a su paso.

Ya en las montañas, Elsa se tranquilizó. En soledad, logró liberar sus poderes por primera vez.

Creó remolinos de nieve, granizo, e incluso un palacio de hielo.

¡Al fin podía ser ella misma, y eso era fantástico!

Mientras tanto, Anna comprendió al fin por qué Elsa había actuado distante todos esos años, y decidió ir a buscarla. Ahora que el secreto había sido descubierto, podrían estar juntas de nuevo.

Anna comenzó a ascender por la montaña pero su caballo la arrojó a la nieve. Afortunadamente, encontró refugio en una tienda cercana.

En el interior, Anna vio a un joven cubierto de escarcha. Se sentía molesto porque era agricultor y la tormenta de nieve a mitad del verano estaba arruinando sus plantaciones.

Él sabía de dónde provenía la tormenta. ¡Le podía indicar el camino hasta Elsa!

Anna contrató al joven, que se llamaba Kristoff, para que la llevara a la Montaña del Norte a buscar a su hermana. Su reno, Sven, también los acompañó.

Cuando estaban llegando a la cima de la montaña, los tres divisaron un hermoso paisaje de invierno. ¡Todo había sido creado por la magia de Elsa!

Además, Elsa había hecho un muñeco de nieve... ¡que estaba vivo!

Olaf, el muñeco de nieve, había escuchado que Anna planeaba traer de regreso el verano y estaba entusiasmado con esta idea. Él soñaba con un clima cálido. De modo que ofreció conducirlos hasta Elsa.

Después de una larga caminata, el grupo llegó hasta el fantástico palacio de hielo que Elsa había creado.

Anna estaba impresionada con los poderes de Elsa y su palacio de hielo; pero quería que su hermana volviera a casa. Elsa pensaba que el pueblo de Arendelle no la aceptaría, y todavía tenía miedo de lastimarlos. Las dos jóvenes discutieron.

Sin tener la intención de herir a Anna, Elsa golpeó a su hermana con sus poderes de hielo.

Elsa creó entonces otro muñeco de nieve, mucho más grande que Olaf, llamado Malvavisco.

¡El muñeco de nieve se aseguró de que Anna, Kristoff y Olaf abandonaran la montaña de inmediato!

Cuando ya estaban a salvo, Kristoff notó que el cabello de Anna se estaba volviendo blanco. De modo que decidió llevarla con los trolls esperando que su magia pudiera ayudarla.

Los trolls explicaron que el poder de Elsa había golpeado a Anna en el corazón y que pronto se congelaría por completo. Solo un acto de amor podría descongelar su corazón helado.

Entonces, Olaf y Kristoff la llevaron a Arendelle para que Hans le diera un beso de amor verdadero.

Mientras tanto, en Arendelle, Hans estaba ayudando al pueblo durante la tormenta cuando vio al caballo de Anna regresar sin ella.

Hans reunió un grupo y salió a buscar a Anna... pero encontró primero a Elsa. Los hombres estaban convencidos de que era peligrosa, y Elsa se vio obligada a defenderse. Finalmente, fue conducida de nuevo a Arendelle, ¡como prisionera!

Cuando Anna llegó, Hans no quiso besarla. ¡Él no la amaba! Su única intención había sido gobernar el reino, y para eso primero debía asegurarse de que las hermanas estuvieran fuera de su camino.

Anna se sintió muy triste. Pero Olaf se dio cuenta de que Kristoff era quien la amaba, y los reunió. Cuando estaban a punto de besarse, Elsa gritó...

¡Su hermana estaba en peligro! Anna corrió y se arrojó delante de Elsa, justo a tiempo para bloquear un golpe de la espada de Hans.

En ese momento, Anna se transformó en una estatua de hielo sólido. La espada se hizo añicos contra su cuerpo helado.

Sorprendida, Elsa rodeó a Anna con sus brazos y lloró. No quería perder a su hermana.

De repente, Anna comenzó a derretirse. ¡El acto de amor verdadero había roto el hechizo!

Con el amor y la fe de Anna, Elsa logró traer de vuelta el verano.

Las hermanas se abrazaron y prometieron llevarse bien para siempre.

El pueblo de Arendelle recibió a Elsa con los brazos abiertos. Kristoff decidió quedarse allí; y también Olaf, que gracias a una pequeña nube de invierno podía mantenerse frío.

¡Las hermanas estaban juntas de nuevo y eran felices!